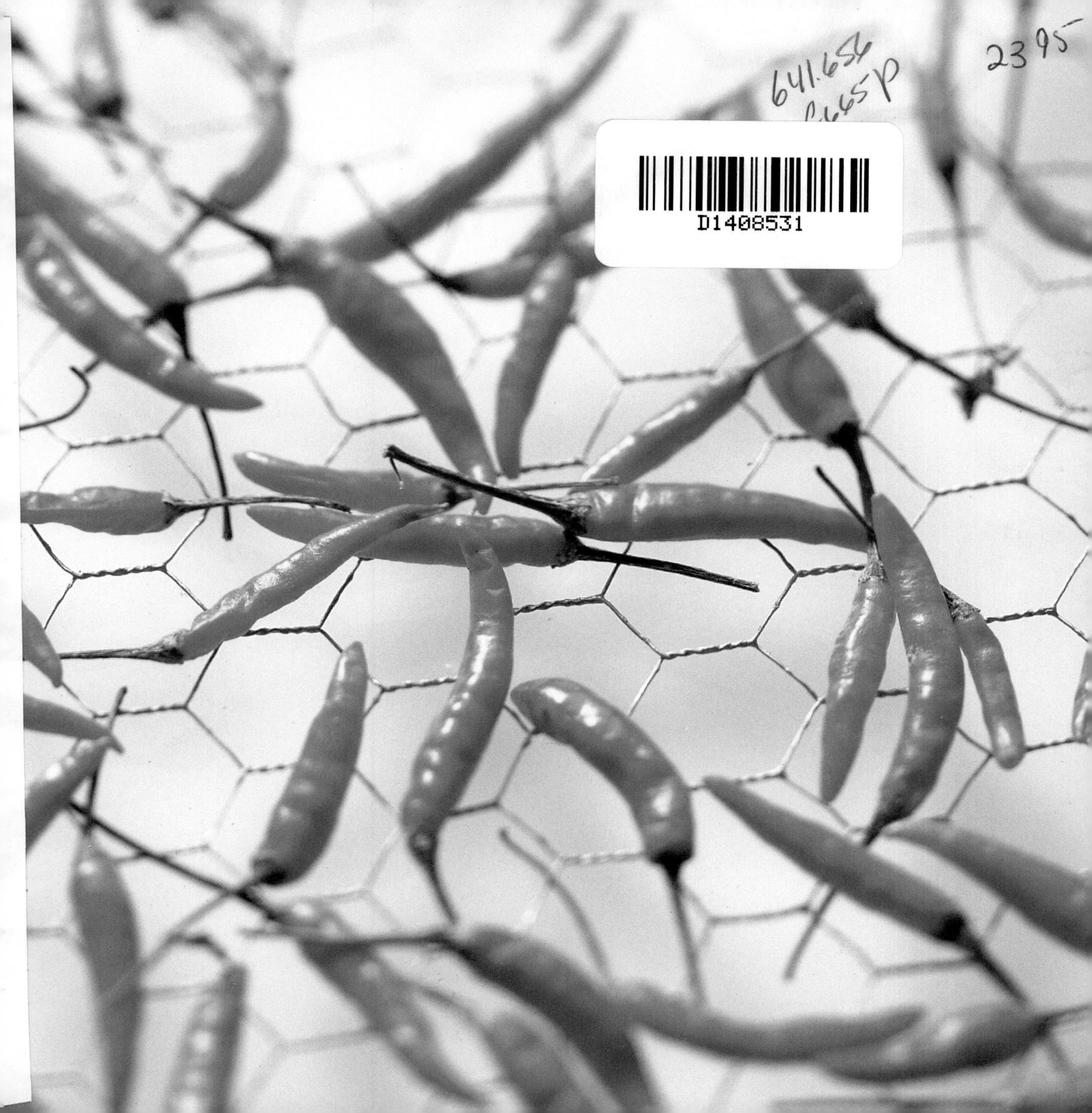

au rendez-vous
des saveurs

Piments

au rendez-vous des saveurs

Piments

Clare Gordon-Smith

adaptation française de

Chantal Bouvÿ

photographies de

James Merrell

Gründ

Librairie Gründ – 60, rue Mazarine – 75006 Paris

Adaptation française de Chantal Bouvÿ
Texte original de Clare Gordon-Smith
Secrétariat d'édition : Anne Terral

Première édition française 1997 par Librairie Gründ, Paris

ISBN : 2-7000-6011-3
Dépôt légal : août 1997
Édition originale 1996 par Ryland Peters & Small
sous le titre *Flavouring with Chillies*

PAO : Avant Page, Paris
(polices utilisées : NimbuSanNovT et New Baskerville)
Imprimé à China

Remarque :
Les mesures des cuillerées correspondent à :

1 cuillère à café = 5 g
1 cuillère à soupe = 15 g

Les fours doivent être préchauffés à la température indiquée à chaque recette. Si votre four comporte une ventilation, réglez le temps de cuisson et la température suivant les instructions du fabricant.

Les **piments,** originaires d'Amérique centrale et d'Amérique du Sud, ont été adoptés avec enthousiasme par les cuisiniers d'Europe, d'Afrique, du Moyen-Orient, d'Inde et de l'Asie du sud-est, ainsi que par l'Amérique. Il en existe des centaines de variétés. On trouve dans le commerce, (en partant de la gauche), l'**anaheim**, vert à l'état naturel et rouge une fois mûr, qu'on utilise beaucoup en conserve mais qui se trouve aussi frais. Le **scotch bonnet**, de Jamaïque, jaune vif ou rouge, parfume les curries indiens et relève les sauces. Sa saveur fruitée et fumée se marie très bien avec les fruits exotiques. Le petit piment fort jamaïcain lui ressemble beaucoup. Le piment **thaï** rouge ou vert et les piments d'**Asie** sont très forts, et ont un goût prononcé. Le **serrano,** rouge ou vert, est parfait grillé ou utilisé frais dans les sauces. L'**habañero**, jaune, rouge, ou orange, proche du bonnet, est fruité et extrêmement fort. Le piment jaune pâle des **Caraïbes**, lui, s'utilise surtout cru en salade. Le piment vert **coréen** est aussi fort que son cousin thaï. Le gros **New Mexico**, rouge ou vert, est un proche cousin de l'Anaheim. Doux, charnu et sucré, il relève les sauces et les ragoûts.

les saveurs des

Piments

Guajillo
Un piment doux au goût de thé vert. Utilisé dans les sauces.

Pasado
(non représenté)
Grillé puis séché sans la peau, il a un goût de pomme, de céleri et de citron.

Choricero
(non représenté)
Ce piment doux et sucré nous vient d'Espagne. Il peut être farci en raison de sa taille et relève agréablement les soupes, les plats en sauce et les sauces.

Mulato
Doux et fruité, au goût fumé, il a une saveur de réglisse selon certains. Il peut être farci ou coupé en lanières pour parfumer les plats mexicains.

Cascabelle (ou petit hochet)
Ces petits piments ont un goût de noisette, une chair épaisse, et sont modérément forts. Faites-les tremper avant de les utiliser dans les sauces, les soupes, les plats en sauces et les salsas.

New Mexico Red
Ce gros piment rouge, très populaire, à la saveur de terre et fruité, fait merveille dans les sauces rouges.

Tepin
Petit et rond, très fort, il a un goût de maïs et de noix et s'utilise généralement pilé dans des plats cuisinés ou pour confectionner des huiles et des vinaigres relevés.

Il existe des dizaines de variétés de **piments** dans le monde et chaque cuisine a ses préférences. Les piments forts serranos et les jalapeños sont largement utilisés au Mexique et aux États-Unis. Les Scotch bonnets relèvent la cuisine des Caraïbes, tandis que les piments de Cayenne sont très populaires en Inde et dans les pays d'Asie. Originaire du **Mexique,** le piment est utilisé comme ingrédient de cuisine depuis 7 000 ans. Il fut découvert puis introduit en Europe par Christophe Colomb après la découverte du Nouveau Monde en 1492, et se répandit en Europe, en Asie et en Afrique grâce aux Espagnols et aux Portugais. La substance chimique qui donne au piment

Nyora
(non représenté)
Piment espagnol sucré à l'agréable saveur fruitée, il relève agréablement les soupes, les plats en sauce et les salades.

Piment oiseau
Ce piment orange d'Afrique orientale s'utilise dans les soupes, les plats en sauces, et pour confectionner des huiles et des vinaigres.

Guindilla
(non représenté)
Ce piment doux espagnol moyennement fort relève agréablement un grand nombre de plats.

Pasilla (le petit raisin)
Idéal pour relever les plats et la cuisine mexicaine, ce piment moyennement fort a un goût de réglisse et de baies.

Habañero
C'est le plus fort des piments. Une merveille dans les ragoûts de poissons, les curries et les sauces.

Chipotle
(non représenté)
Piment très fort au délicieux goût de noix et à la saveur fumée.

Ancho
(non représenté)
Doux, sucré et fruité, il peut être farci ou découpé en lanières pour relever les sauces d'inspiration mexicaine. Pour le farcir, retirez les pépins mais laissez le pédoncule intact.

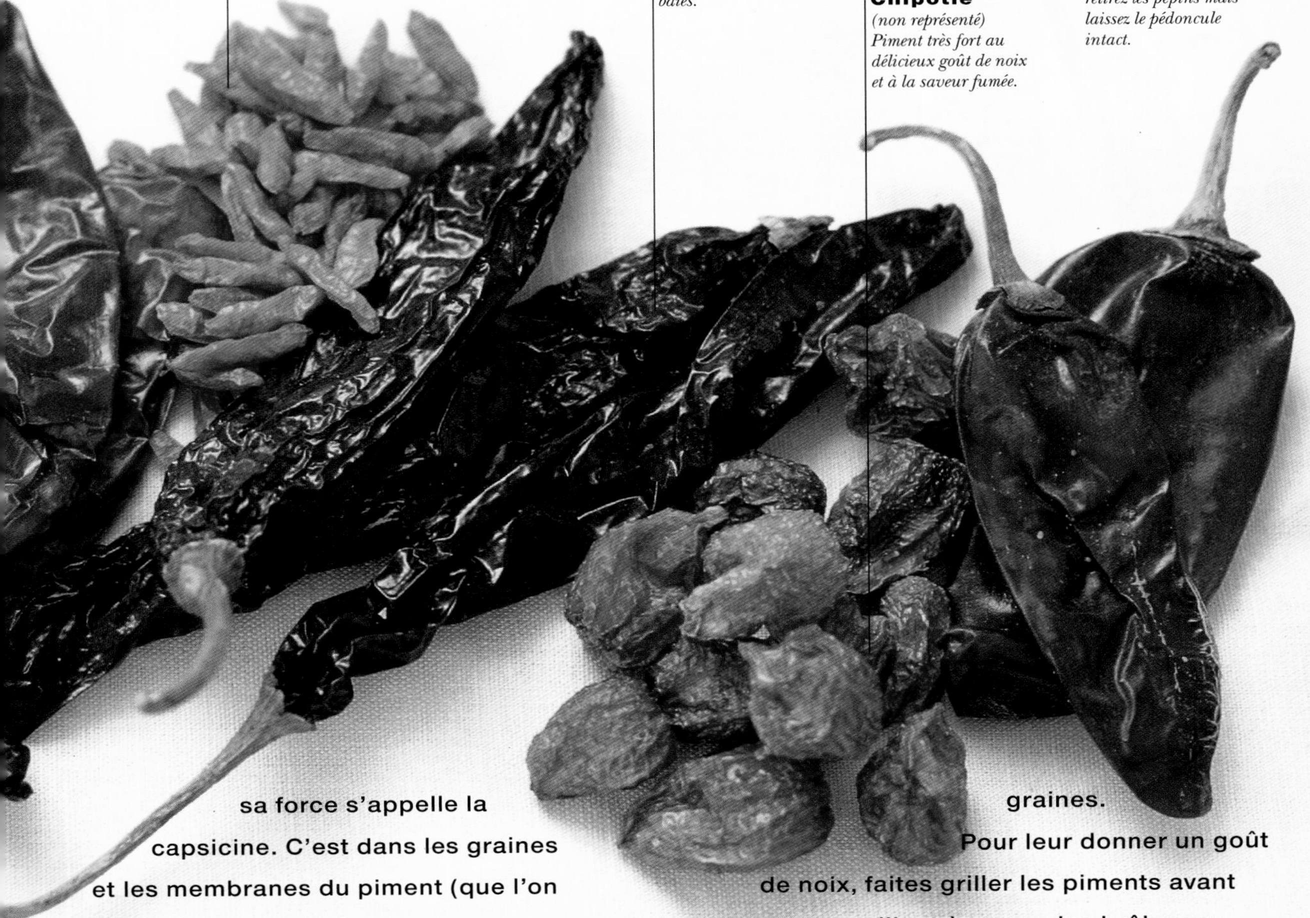

sa force s'appelle la capsicine. C'est dans les graines et les membranes du piment (que l'on retire pour les cuisiner) que se concentre toute sa **force** et son ardeur. Pour utiliser les piments séchés entiers, couvrez-les d'eau bouillante, laissez-les tremper pendant 20 minutes, puis retirez les pédoncules, les membranes et les graines.

Pour leur donner un goût de noix, faites griller les piments avant utilisation en veillant à ne pas les brûler car ils deviendraient amers. La capsicine n'est pas soluble dans l'eau. Si vous avez avalé un piment trop fort, ne buvez pas d'eau. Préférez de la bière, du vin, du lait ou du yaourt.

Entrées

Soupe thaïe
aux piments aigres-doux

Le piment parfume pleinement cette soupe thaïe. Si vous n'avez pas le temps de faire vous-même le bouillon de poulet, choisissez du bouillon de qualité au rayon frais de votre supermarché.

Si vous vous servez des champignons noirs, mettez-les dans un petit bol, couvrez-les d'eau bouillante et laissez-les tremper 30 min. Mettez le bouillon, l'ail, le gingembre, le vinaigre de riz et le sucre roux dans une casserole et chauffez en remuant constamment, jusqu'à ce que le mélange frémisse. Ajoutez le poulet, les ciboules, la citronnelle, le piment rouge et les champignons noirs (facultatif) et laissez mijoter 15-20 min. Goûtez et rectifiez l'assaisonnement. Retirez la citronnelle puis servez la soupe après y avoir ajouté des feuilles de coriandre fraîches.

3 champignons noirs (facultatif)

1 l de bouillon de poulet

2 gousses d'ail

1 cuil. à soupe de gingembre en tranches mariné au vinaigre

1 ½ cuil. à café de vinaigre de riz

2 cuil. à café de sucre roux

1 blanc de poulet, découpé en lanières

4 ciboules émincées

2 tiges de citronnelle coupées dans la longueur

1 piment rouge thaï

sel et poivre du moulin

feuilles de coriandre fraîches, pour présenter

Pour 4 personnes

Moules
à la sauce de piment rouge

Si vous ne trouvez pas de piments New Mexico larges et rouges dans les épiceries spécialisées, remplacez-les par un petit piment rouge séché (bien plus fort que le New Mexico). Attention : les moules étant naturellement salées, tenez-en compte lors de l'assaisonnement.

Faites rôtir l'ail et les tomates dans un four préchauffé à 150 °C, th. 2, pendant 1 h. Pour la sauce, faites tremper les piments dans le bouillon de poulet et l'eau pendant 1 h environ jusqu'à ce qu'ils soient adoucis et tendres. Passez-les au mixeur et réservez. Versez 1 cuil. à soupe d'huile d'olive dans une sauteuse et faites réchauffer l'ail et les tomates. Ajoutez les moules, la sauce, couvrez et laissez mijoter entre 5 et 7 min jusqu'à ce que les moules se soient ouvertes. Jetez celles qui ne s'ouvrent pas. Goûtez et rectifiez l'assaisonnement, puis ajoutez la crème, à votre gré, et servez aussitôt, après avoir saupoudré légèrement le plat de paprika moulu, et de chapelure.

2 gousses d'ail

4 tomates mûres, détaillées en tranches

2 piments New Mexico rouges séchés épépinés et pelés

30 cl de bouillon de poulet

15 cl d'eau

2 cuil. à soupe d'huile d'olive

1 kg de moules, grattées et ébarbées

15 cl de crème fraîche (facultatif)

sel et poivre du moulin

paprika en poudre, et chapelure pour présenter

Pour 4 personnes

Soupe de coquilles Saint-Jacques
aux piments de la Jamaïque

Le goût subtil des coquilles Saint-Jacques s'épanouit pleinement dans cette recette aux piments très piquants ! Si vous ne trouvez pas de Scotch bonnets, prenez des habañeros, ou tout autre piment fort, rouge, et frais. Les Jamaïcains les cuisent tout entiers dans la soupe et les retirent au moment de servir. Le résultat : une saveur étonnante, pimentée et fruitée.

Mettez les coquilles Saint-Jacques dans un bol, arrosez-les de jus de citron vert et réservez-les. Faites dorer le bacon dans une grande marmite et retirez tout excès de graisse. Versez l'huile d'olive et, quand celle-ci est chaude, ajoutez l'échalote, le céleri, l'ail et le piment coupé en lanières. Faites revenir doucement le tout pendant quelques minutes, ajoutez les tomates et le xérès, puis portez à ébullition pour brûler l'alcool. Coupez les pommes de terre en dés, ajoutez-les au contenu de la marmite ainsi que les herbes et le bouillon de poisson. Gardez quelques coquilles Saint-Jacques pour présenter, hachez les autres et ajoutez-les à la soupe. Portez à ébullition, laissez mijoter 20 min, puis goûtez et rectifiez l'assaisonnement. Ajoutez les coquilles préalablement réservées, saupoudrez de persil et servez avec du pain grillé.

250 g de coquilles Saint-Jacques

3 cuil. à soupe de jus de citron vert

2 tranches de bacon pas trop maigre, en lanières

1 cuil. à soupe d'huile d'olive

1 échalote, émincée

2 branches de céleri, finement hachées

2 gousses d'ail, écrasées

½ piment jamaïcain Scotch bonnet, épépiné et découpé en lanières

3 tomates pelées, épépinées et détaillées en cubes

2 cuil. à soupe de xérès sec

500 g de pommes de terre

2 feuilles de laurier

1 bouquet de persil plat frais haché et 4 cuil. à soupe, pour présenter

½ l de bouillon de poisson

sel et poivre du moulin

Pour 4 personnes

Soupe aux piments
et aux poivrons jaunes et rouges

Les tomates et les poivrons exaltent la saveur pimentée de cette soupe colorée.

Placez les poivrons et le piment rouge sous un gril très chaud et faites-les griller jusqu'à ce que les peaux noircissent et se boursouflent puis laissez-les tiédir dans un film alimentaire transparent pendant 5 à 7 min. Retirez les pédoncules et les graines intérieures, grattez la peau et jetez-la. Découpez la chair en lanières et réservez le poivron jaune pour la garniture. Chauffez l'huile dans une grande casserole, ajoutez l'échalote ou l'oignon, les tomates, le piment ou les poivrons rouges, couvrez et laissez cuire les légumes environ 5 min jusqu'à ce qu'ils soient tendres. Ajoutez le bouillon, assaisonnez et laissez mijoter pendant 20 min jusqu'à ce que les légumes soient tendres. Au mixeur, réduisez le mélange en purée. Remettez sur le feu, goûtez et rectifiez l'assaisonnement. Ajoutez les lanières de poivron jaune, un soupçon d'huile pimentée, et servez avec des croûtons et de la crème fraîche.

1 cuil. à soupe d'huile de tournesol ou d'une huile légère

1 échalote ou un petit oignon, finement émincés

500 g de belles tomates bien mûres, épluchées et épépinées

2 poivrons rouges

1 piment rouge serrano

1/2 l de bouillon de légumes

sel et poivre du moulin

Pour présenter

1 poivron jaune

huile pimentée

croûtons

4 cuil. à soupe de crème fraîche

Pour 4 personnes

Aïoli pimenté
avec légumes au gril

L'aïoli, cette merveilleuse mayonnaise à l'ail qui nous vient de Provence, accompagne très bien des légumes vapeur, de la morue, ou tout autre poisson poché. Légèrement pimenté, il agrémente aussi parfaitement des légumes très grillés et ensoleille les mets les plus variés.

assortiment de légumes : petits artichauts en bouquets (ou violets), asperges, fenouil, poireau ou poivron.

huile d'olive, pour badigeonner

sel marin

Aïoli pimenté

1 piment rouge habañero

2 gousses d'ail, écrasées

2 jaunes d'œufs

3 cuil. à soupe de chapelure fraîche

4 cuil. à soupe de vinaigre blanc

1 cuil. à soupe de sel

30 cl d'huile d'olive

Pour 4 personnes

Faites cuire les artichauts puis égouttez-les. Badigeonnez tous les légumes à l'huile d'olive, saupoudrez-les de sel marin et faites-les cuire sous un gril très fort, ou sur un gril en fonte.
Pour faire l'aïoli, placez le piment sous le gril et laissez-le griller jusqu'à ce que la peau noircisse et se boursoufle. Retirez la peau, jetez le pédoncule et les graines, puis écrasez la chair du piment. Mettez l'ail, les jaunes d'œufs, la chapelure, le piment, le sel et le vinaigre dans un mixeur et mixez jusqu'à obtenir une pâte. Laissez tourner le mixeur et versez un mince filet d'huile d'olive jusqu'à l'obtention d'une sauce épaisse. Servez en garniture des légumes grillés ou des crudités.

Calmar farci au piment
sur lit de salade roquette

Les petits calmars sont un régal. Servez-les farcis d'un mélange de miettes de brioche, de piments, et de jambon cru en hors-d'œuvre, ou avec du riz ou du couscous en plat principal. Si vous n'avez pas de gril en fonte, vous pouvez faire cuire le calmar au barbecue, ou le faire griller dans un four chaud, 200 °C, th. 6, pendant 10 minutes.

Pour faire la farce, mettez le beurre dans une poêle et quand il grésille, faites dorer les miettes de brioche. Une fois dorées, mettez-les dans un bol, et mélangez-les avec les autres ingrédients de la farce. Pour préparer le calmar, détachez doucement le corps de la tête et des tentacules, coupez les tentacules et réservez-les. Rincez les corps, et ôtez les poches d'encre et la tête. Farcissez les calmars et fermez-les à l'aide de pique-olives. Badigeonnez-les d'huile d'olive et assaisonnez de sel et de poivre du moulin. Chauffez un gril en fonte préalablement huilé et faites griller les calmars farcis et les tentacules environ 5 min de chaque côté. Pour présenter, disposez la salade roquette sur les assiettes de service et placez-y les calmars. Arrosez d'un filet d'huile pimentée et servez aussitôt.

un plat facile et **original**, légèrement relevé

8 calmars

huile d'olive pour badigeonner

sel et poivre du moulin

Farce pimentée

25 g de beurre

50 g de miettes de brioche

1 cuil. à s. de feuilles de coriandre fraîches finement hâchées

1 gousse d'ail, écrasée

1 piment vert habañero, finement hâché

2 tranches de jambon cru, finement hâché

le zeste et le jus de1 citron vert

sel et poivre du moulin

Pour présenter

250 g de feuilles de roquette ou de mâche

huile pimentée

Pour 4 personnes

Beignets de crabe
et sauce pimentée

Un hors-d'œuvre plein de tonus ! Vous pouvez acheter la sauce pimentée toute faite ou la confectionner vous-même : épépinez et hachez un piment rouge, puis arrosez-le de 6 cuil. à soupe de vinaigre de riz et de 2 cuil. à soupe de ketchup.

6 feuilles de papier de riz

huile, pour friture

15 cl de sauce pimentée

Farce du crabe

2 piments thaïs verts

3 ciboules

1 bouquet de coriandre

4 champignons noirs

50 g de nouilles transparentes

175 g de chair de crabe

2 cuil. à café de sauce de soja

1 cuil. à soupe de fumet de poisson

Pour 4 personnes

Mélangez tous les ingrédients de la sauce pimentée, placez-les dans un bol et réservez. Pour faire la farce, épépinez et hachez les piments, puis hachez finement les ciboules et la coriandre. Faites tremper les champignons et les nouilles séparément dans de l'eau chaude pendant 10 min, puis égouttez et jetez l'eau. Mélangez tous les ingrédients de la farce. Pour faire les beignets, faites tremper le papier de riz dans de l'eau chaude jusqu'à ce qu'il s'assouplisse, posez une cuillère de farce au centre de chaque feuille et repliez les feuilles sur la farce. Recouvrez d'un torchon humide pour éviter qu'elles ne se déssèchent. Chauffez l'huile dans une poêle et faites frire quelques minutes les boulettes obtenues.

crabe et piments : une **alliance** tonique !

Boulettes de crabe
à la sauce douce de poivron rouge

Ces boulettes de crabe constituent une entrée formidable : le piment et le crabe semblent être faits l'un pour l'autre ! Si vous ne trouvez pas de jalapeños, utilisez un petit piment rouge.

125 g de chapelure

1 œuf légèrement battu

500 g de chair de crabe

1 à 2 piments jalapeños épépinés et en dés

1 bouquet de coriandre, grossièrement haché

sel et poivre du moulin

huile pour friture

Sauce au poivron

2 poivrons rouges

1 petit piment rouge

2 échalotes émincées

1 brin de thym

1 gousse d'ail écrasée

10 grains de poivre

1 belle tomate, découpée en tranches

250 g de bouillon de légumes

4 cuil. à soupe de vermouth blanc

1 cuil. à café de vinaigre de vin blanc

Pour 4 personnes

Mélangez dans un bol la chapelure, l'œuf, la chair de crabe, les piments jalapeños, la coriandre, le sel et le poivre du moulin . Couvrez et réservez. Pour faire la sauce, pelez le poivron avec un épluche-légumes et hachez-le grossièrement. Épépinez et hachez le piment rouge. Mettez-les dans une casserole avec les échalotes, le thym, l'ail, les grains de poivre et la tomate. Versez le bouillon de légumes, portez à ébullition et faites cuire jusqu'à ce que tous les légumes soient tendres. Ajoutez le vermouth blanc et le vinaigre, faites reprendre l'ébullition, puis laissez réduire pendant 3 à 4 min. Mettez le tout dans un mixeur et réduisez en purée. Réchauffez le contenu de la casserole et laissez mijoter doucement jusqu'au moment de servir. Pour cuire les boulettes de crabe, chauffez l'huile dans une grande poêle, déposez des cuillerées du mélange et faites-les frire pendant quelques minutes de chaque côté jusqu'à ce que les boulettes soient dorées, puis égouttez-les dans du papier absorbant. Servez avec la sauce au poivron rouge relevée.

Plats principaux

Curry thaï de fruits de mer

à la coriandre et au lait de coco

Les curries de poissons thaïs ont une saveur fraîche et épicée. Pour éviter que les fruits de mer ne soient trop cuits, retirez-les du bouillon sitôt cuits, puis réchauffez-les juste avant de servir.

Versez le lait de coco dans une casserole, ajoutez les piments et la citronnelle et portez à ébullition. Jetez-y les moules, et retirez-les sitôt ouvertes. Ajoutez la queue de lotte (ou la morue) coupée en morceaux ainsi que les crevettes et pochez à feu doux jusqu'à ce que les crevettes aient changé de couleur et que les poissons soient opaques. Retirez-les de la casserole et réservez, avec les moules. Portez de nouveau à ébullition le lait de coco et faites-le réduire de moitié. Remettez les fruits de mer dans la casserole et faites-les réchauffer, puis servez-les avec du riz thaïlandais parfumé ou des pâtes, le tout parsemé de feuilles de coriandre hachées.

30 cl de lait de noix de coco

1 piment rouge thaï épépiné et coupé en lanières

1 piment vert thaï épépiné et coupé en lanières

2 tiges de citronnelle

500 g de moules grattées et ébarbées

500 g de morue ou de queue de lotte

500 g de grosses crevettes roses décortiquées auxquelles vous aurez ôté les veines.

riz thaï parfumé ou pâtes en garniture

feuilles fraîches d'un bouquet de coriandre

Pour 4 personnes

Brochettes de crevettes
à la papaye et à la mangue

Cette recette est délicieuse au barbecue : l'odeur du bois fumé lui donne une saveur merveilleuse. Cuisinez toujours les crevettes dans leur carapace, pour un goût plus prononcé.

Pour faire la sauce, mélangez les ingrédients dans un bol, couvrez et mettez au frais pendant 6 h. Mettez les crevettes dans un saladier, versez dessus l'huile pimentée et le jus de 2 citrons verts. Laissez mariner pendant 1 à 2 h. Laissez tremper 4 brochettes en bois dans un peu d'eau pendant 30 min. Enfilez une rondelle d'oignon rouge sur chacune des brochettes, puis ajoutez les crevettes ainsi qu'une rondelle de citron vert. Badigeonnez de la marinade, saupoudrez de gros sel puis faites cuire sous un gril préchauffé plusieurs minutes de chaque côté. Garnissez de rondelles d'oignon et de citron vert, du piment en tranches et des feuilles de coriandre, et nappez de sauce. Ou bien présentez la sauce à part et servez avec du riz ou de la salade.

les morceaux de **fruits frais** font de délicieuses **sauces.** Celle-ci est aussi très bonne avec des raisins

24 crevettes entières

1 cuil. à café
d'huile pimentée

le jus de 2 citrons verts
plus 1 citron vert
en tranches, et 1 citron
vert en quartiers

1 gros oignon rouge,
découpé en 8 morceaux

sel marin

**Sauce pimentée
à la papaye et
à la mangue**

1 grosse mangue,
pelée, épépinée et
découpée en dés.

1 papaye de 250 g
environ, pelée,
épépinée
et découpée
en dés

1 cuil. à soupe de
vinaigre balsamique

1 cuil. à soupe de
piments rouges hachés

sel et poivre du moulin

Pour présenter

1 piment rouge
en lanières

feuilles de coriandre

Pour 4 personnes

Filet de porc
et chutney à la pomme et au piment

Ce subtil chutney, rehaussé d'une touche de vinaigre, est un délice. Si vous n'avez pas de piments habañeros, prenez un Scotch bonnet ou 2 petits piments d'Asie.

Mixez ensemble les ingrédients de la marinade. Retirez le gras éventuel du porc et posez le filet sur un plat. Versez dessus la marinade, couvrez avec du film transparent et laissez mariner au moins 1 h, de préférence une nuit. Retirez alors la viande de la marinade, séchez-la dans du papier absorbant, et mettez-la dans un plat à rôtir. Faites cuire dans un four préchauffé à 200 °C, th. 6, pendant 20 à 30 min jusqu'à ce qu'elle soit bien cuite. Retirez-la du plat et gardez-la dans un endroit chaud pendant 5 min environ. Pendant ce temps, pour faire le chutney, faites chauffer l'huile dans une grande poêle, ajoutez l'échalote et faites-la roussir. Émincez la pomme, ajoutez-la dans la poêle et mélangez. Ajoutez les ingrédients restants ainsi que le jus de la marinade, mélangez, portez à ébullition et laissez mijoter pendant 15 min. Découpez le porc en tranches et servez avec le chutney à la pomme et au piment. Accompagnez de pâtes à l'huile d'olive, ou de pâte au piment vert (voir page 61).

500 g de filet de porc

Marinade à l'orange

le zeste et le jus de 2 oranges

1 cuil. à café de jus de citron

1 gousse d'ail écrasée

1 cuil. à café de sauce soja

1 à 2 cuil. à café de piment en poudre

1 cuil. à café de sucre brun

Chutney à la pomme et au piment

2 cuil. à café d'huile pimentée

1 échalote ou 1 petit oignon, finement émincé

1 pomme type reinette

1 piment rouge habañero épépiné et haché

2 cuil. à soupe de vinaigre de xérès

1 pincée de sel

Pour 4 personnes

Poulet à l'ail et au gingembre
avec sauce harissa aux framboises

Dans cette recette stylée, le poulet cuit au four dans 5 cm de bouillon de poulet.

Percez la peau du poulet à intervalles réguliers et piquez-le de morceaux d'ail et de gingembre. Badigeonnez le poulet d'huile pimentée et posez-le dans un plat à rôtir. Faites cuire dans un four préchauffé à 200 °C, th. 6, jusqu'à ce qu'il soit bien tendre. Pour faire le harissa, faites chauffer l'huile d'olive, et faites revenir les oignons hachés. Ajoutez l'ail, les graines de moutarde, les feuilles de laurier, la poudre de piment, du sel et du vinaigre et faites cuire à feux doux jusqu'à ce que le mélange soit souple et doré. Ajoutez les tomates et les framboises, portez à ébullition et laissez mijoter à feu doux pendant 1 h. Retirez du feu et ôtez les feuilles de laurier. Versez le mélange dans un mixeur et réduisez-le en purée. Sortez le poulet du four et servez-le accompagné de harissa et de couscous. Le couscous peut être servi nature ou épicé avec de l'huile pimentée, de la cannelle, de l'ail et de la vanille.

1 poulet fermier
de 2 kg environ

2 gousses d'ail émincées

2,5 cm de gingembre
en tranches

2 cuil. à café d'huile
pimentée

bouillon de poulet

couscous, en garniture

Harissa aux framboises

2 cuil. à soupe
d'huile d'olive

2 oignons rouges,
finement émincés

1 gousse d'ail écrasée

1 cuil. à café de graines
de moutarde pilées

feuilles de laurier

1 cuil. à café de piment
en poudre

sel

1 cuil. à soupe de vinaigre

250 g de tomates pelées

250 g de framboises

Pour 4 personnes

Poulet et chorizo
dans une sauce pimentée à l'orange

Le riz rouge de Camargue a une saveur de noix mais vous pouvez, à défaut, utiliser du riz basmati, également délicieux.

500 g de pommes de terre

4 belles tomates

2 cuil. à soupe d'huile d'olive

250 g de petits oignons

2 gousses d'ail entières

4 blancs de poulet

2 saucisses chorizo

2 cuil. à soupe de harissa

1 pincée de piment en poudre

3 cuil. à soupe de xérès

le zeste et le jus de 1 grosse orange

Pour présenter

graines de cumin grillées et crème fraîche

Pour 4 personnes

Pelez les pommes de terre et découpez-les en cubes puis pelez et hachez les tomates. Faites chauffer de l'huile dans une grande poêle, ajoutez les pommes de terre et les oignons et faites-les revenir pendant 10 min environ, puis ajoutez l'ail et faites frire jusqu'à ce que les légumes soient bien dorés. Coupez le poulet en morceaux de 5 cm environ, les saucisses en gros morceaux, puis ajoutez les viandes au mélange pommes de terre et oignons. Versez les tomates hachées, le harissa, la poudre de piment, le xérès, le zeste et le jus d'orange. Goûtez et rectifiez l'assaisonnement puis laissez mijoter pendant 15 min, jusqu'à ce que le poulet soit tendre. Saupoudrez de graines de cumin grillées et servez avec une bonne cuillerée de crème fraîche, accompagné de riz de Camargue à la vapeur ou d'une belle salade verte croquante.

Magrets de canard marinés
dans une sauce à l'orange et au xérès

Dans cette recette se croisent les traditions culinaires de l'Asie et du Mexique. La saveur pimentée de la marinade est donnée par la sauce Tabasco, créée en Louisiane au milieu du siècle dernier, avec des piments provenant de l'État mexicain de Tabasco.

2 beaux magrets de canard

Marinade au miel

1 cuil. à soupe d'huile de sésame

2 cuil. à soupe de sauce soja

1 cuil. à soupe de miel

1 cuil. à café de sauce Tabasco

Sauce à l'orange

1 échalote, ou 1 petit oignon finement émincé

2 oranges, en quartiers

1 piment jaune Scotch bonnet, épépiné et finement haché

1 bouquet de basilic, grossièrement haché

1 petit piment rouge, épépiné et finement haché

Sauce au xérès

2 cuil. à soupe de xérès sec

15 cl de bouillon de légumes

Pour 4 personnes

Avec la pointe d'un couteau, faites des incisions croisées dans la peau du canard pour faire fondre la graisse lors de la cuisson. Placez les magrets dans une sauteuse, côté peau au-dessous. Mélangez les ingrédients de la marinade, versez le mélange sur le magret et laissez mariner environ 30 min. Pendant ce temps, faites la sauce : mixez tous les ingrédients ensemble et laissez reposer au frais. Arrosez les magrets avec la marinade, puis placez le plat dans un four préchauffé à 200 °C, th. 6, pendant 20 min environ ou jusqu'à ce que les magrets soient bien rosés. Sortez-les et gardez-les au chaud. Retirez la graisse de la sauteuse, ajoutez le xérès, portez à ébullition pour faire évaporer l'alcool, puis ajoutez le bouillon et laissez mijoter 5 min. Découpez le magret et servez avec la sauce au xérès et à l'orange accompagnée de chou braisé.

Cailles au miel et au harissa
rôties avec des patates douces

La pâte au harissa est un ingrédient essentiel de la cuisine nord-africaine et du Moyen-Orient. On peut l'acheter déjà prête, mais elle est facile à faire : laissez simplement tremper 25 g de piments séchés dans de l'eau chaude pendant 1 h. Égouttez et réduisez en purée avec 2 cuil. à soupe de coriandre fraîche, 1 cuil. à soupe de menthe fraîche, une pincée de sel, une gousse d'ail, et suffisamment d'huile pour donner une pâte épaisse.

Mélangez les ingrédients pour faire la pâte au harissa, puis étalez la pâte sur les cailles, placez-les dans un plat à rôtir et faites-les cuire dans un four préchauffé à 200 °C, th. 6, pendant 20 min environ. (Une caille est cuite lorsque, quand on enfonce une broche dans la partie la plus charnue de la caille, il en jaillit du jus et que la chair n'est plus rose). Mettez-les à part pendant 10 min avant de servir. Découpez les patates douces en gros dés, badigeonnez-les d'un peu d'huile d'olive, saupoudrez de sel, placez-les dans un autre plat allant au four et faites-les cuire à la même température que les cailles pendant 20 min. Servez les cailles avec les patates douces. Des légumes verts à la vapeur sont un accompagnement parfait.

4 cailles

500 g de patates douces

2 cuil. à café d'huile d'olive

sel marin

Sauce au xérès, au miel et au harissa

3 cuil. à soupe de miel

2 cuil. à soupe de xérès sec

2 cuil. à soupe de pâte au harissa

sel

Pour 4 personnes

Chevreuil pané
avec sauce au piment et aux poires

L'exquise alliance des fruits et de la viande est typique des pays du Moyen-Orient et remonte au Moyen Âge. La sauce au piment et au soja confère à ce plat une saveur à la fois occidentale et orientale. Pour une version plus familiale de cette recette, vous pouvez aussi utiliser des saucisses à base de chevreuil.

Faites chauffer le beurre et l'huile d'olive dans une grande poêle, ajoutez le chevreuil et faites-le sauter quelques minutes jusqu'à ce qu'il soit bien brun. Retirez de la poêle et laissez-le reposer au chaud. Mettez les poires en tranches dans la poêle, saupoudrez-les de sucre, puis faites-les sauter jusqu'à ce qu'elles soient légèrement dorées. Ajoutez le vin rouge, la sauce soja, le piment et le mélange de farine de maïs. Portez à ébullition et laissez mijoter pendant 5 min. Servez les morceaux de gibier nappés de sauce, accompagnés de pommes de terre rôties au four et de lanières de chou braisé avec des graines de cumin. Au besoin, replacez les morceaux de viande dans la sauce et laissez mijoter à feu doux pendant 3 min avant de servir.

un plat **inhabituel**, doux et épicé,

rehaussé d'une touche pimentée

25 g de beurre

1 cuil. à soupe
d'huile d'olive

500 g de filet
de chevreuil coupé en
cubes de 2,5 cm
de côté

2 poires pelées,
découpées en quartiers
puis en tranches

1/2 cuil. à café de sucre

25 cl de vin rouge

1 cuil. à soupe
de sauce soja légère

1 piment rouge, grillé

1 cuil. à soupe de farine
de maïs, mélangée à
2 cuil. à soupe
d'eau froide

Pour 4 personnes

Légumes

Crêpes de maïs
aux légumes et à la sauce tomate

Ces jolies crêpes dorées à la polenta, ont une saveur douce et noisetée. Elles peuvent se déguster comme un plat en soi ou en entrée, et régaleront notamment les végétariens.

Pour faire les crêpes, versez la farine complète et la polenta dans un bol, ajoutez-y le sel, les œufs et le lait, puis battez le tout pour former une pâte légère. Réservez. Pour la garniture, écrasez l'ail, émincez les oignons et détaillez les courgettes en quartiers. Enlevez le pédoncule, épépinez et hachez les poivrons rouges et le piment mariné au vinaigre. Faites chauffer l'huile dans une sauteuse, ajoutez l'ail, les oignons, les courgettes, les poivrons, le piment et le sel et faites cuire à feu doux jusqu'à ce que les légumes soient tendres. Pour faire la sauce, hachez grossièrement les tomates et émincez finement les ciboules. Épépinez et hachez grossièrement le piment rouge, puis mixez ensemble tous les ingrédients et mettez-les au frais. Faites chauffer l'huile dans une poêle de 18 cm de diamètre, versez une louche de pâte à crêpe et faites cuire les crêpes de chaque côté, en les réservant au chaud au fur et à mesure. Farcissez les crêpes et servez-les accompagnées de sauce tomate.

50 g de polenta

50 g de farine complète

1 pincée de sel

3 œufs

2 gousses d'ail

2 oignons rouges

12 petites courgettes

2 poivrons rouges

1 piment rouge jalapeño mariné au vinaigre

1 cuil. à soupe d'huile d'olive

1 pincée de sel

1 bouquet de coriandre

Sauce tomate

4 tomates pelées

2 ciboules

1 piment rouge

2 cuil. à soupe de vinaigre de vin rouge

Pour 4 personnes

Dhal aux épinards
et à la noix de coco grillée

375 g de pois cassés jaunes rincés

$^1/_2$ cuil. à café de curcuma en poudre

3 cuil. à soupe d'huile

1 cuil. à café de graines de cumin

1 bâtonnet de cannelle

3-5 piments rouges séchés (forts)

250 g de feuilles d'épinards

2 cuil. à soupe de noix de coco râpée ou de flocons de noix de coco grillés (au choix)

Pour 4 personnes

Les pois cassés sont une bonne source de protéines pour les végétariens et une bonne base pour les piments forts. En Inde, le dhal accompagne traditionnellement le riz, les nans (galettes de pain), les légumes au curry, les viandes ou les volailles.

Mettez les pois cassés dans une casserole, ajoutez le curcuma et environ 1,2 l d'eau. Portez à ébullition, puis recouvrez d'un couvercle légèrement entrouvert. Baissez le feu et laissez cuire pendant 20 min environ, puis ajoutez le sel et faites cuire encore 15-20 min, jusqu'à ce que les pois cassés soient cuits et tendres, et qu'ils aient absorbé toute l'eau. Faites chauffer l'huile dans une poêle jusqu'à ce qu'elle soit très chaude, mettez-y les épices et les piments et faites frire pour libérer les arômes, puis ajoutez les épinards et faites-les sauter à feu doux pendant quelques minutes jusqu'à ce que les feuilles deviennent vert clair. Répartissez les épinards épicés sur des assiettes préalablement chauffées et disposez le dhal à côté. Saupoudrez à votre gré de noix de coco râpée ou grillée, et servez.

un **régal** pour les végétariens, tout aussi

bon avec viandes et volailles

Ragoût provençal
à la tomate et au fenouil

Un plat légèrement pimenté, avec juste une note relevée, idéal pour les palais délicats.

500 g de tomates

2 bulbes de fenouil

4 échalotes

500 g de pommes de terre nouvelles, avec leur peau

2 gousses d'ail écrasées

1 poivron rouge

2 cuil. à café de pâte au harissa (voir page 39)

le zeste de 1 orange

1 feuille de laurier

15 cl de bouillon de légumes

2 piments rouges serranos

2 cuil. à café de concentré de tomate

sel et poivre du moulin

Pour 4 personnes

Pelez et coupez les tomates en quartiers, épluchez et découpez le fenouil en fines lamelles, et détaillez les échalotes en rondelles. Mettez tous les ingrédients dans une casserole, à l'exception du concentré de tomate et des piments. Portez à ébullition et laissez mijoter pendant 25 min. Faites noircir les piments serranos puis enlevez les graines et la peau. Hachez les piments et mixez-les avec le concentré de tomate. Ajoutez-les au ragoût et servez avec du pain grillé. Si vous aimez les piments au goût prononcé, utilisez des piments habañeros rouges ou des Scotch bonnets.

Curry des Caraïbes

Un savant mélange de banane plantain, poivrons et petits pois mijotés dans du lait de coco et servi avec du riz épicé. Faites frire 1 cuil. à café de chacun des ingrédients suivants : cannelle, gingembre haché et graines de cumin dans 1 cuil. à soupe d'huile de tournesol. Puis versez ce mélange sur le riz cuit. Si vous ne trouvez pas de banane plantain, remplacez-la par des bananes ordinaires.

Pour préparer les courges, coupez-les en deux, retirez et jetez les graines, pelez-les et coupez la chair en gros morceaux. Faites chauffer l'huile pimentée dans une casserole, ajoutez les piments, les bâtonnets de cannelle et les clous de girofle, et laissez-les grésiller pour qu'ils libèrent leurs arômes. Ajoutez l'oignon haché et laissez-le dorer. Incorporez les courges, la banane plantain coupée en rondelles épaisses, le bouillon de légumes et le lait de coco. Portez à ébullition et laissez mijoter pendant 10 min. Ajoutez le jus de citron, le poivron vert et les petits pois. Laissez cuire 10 min environ et servez avec du riz épicé.

2 courges

1 cuil. à soupe d'huile pimentée

2 piments rouges, épépinés et coupés en tranches

2 bâtonnets de cannelle

6 clous de girofle

1 oignon haché

1 banane plantain, épluchée

30 cl de bouillon de légumes

15 cl de lait de coco

1 cuil. à café de jus de citron

1 poivron vert, équeuté, épépiné et coupé en petits morceaux

125 g de petits pois frais ou surgelés

Pour 4 personnes

Nouilles chinoises
à la papaye verte et au daikon

Les nouilles à la sauce aigre-douce ont régalé plus d'un palais depuis le début des années 1990. Ce plat, qui constitue une entrée bien fraîche en été, accompagne très bien des plats comme le filet de bœuf grillé.

Pour faire la sauce pimentée, mixez ensemble le jus de citron vert, la sauce de poisson, le sucre de palme, les piments, les feuilles de citron vert coupées en fines lanières, les échalotes rouges et la citronnelle. Réservez. Coupez les nouilles pour qu'elles fassent 15 cm de long environ, mettez-les dans une passoire, versez dessus 1 litre d'eau bouillante et réservez. Pelez et épépinez la papaye et coupez-la en julienne. Pelez et coupez le daikon en tranches. Égouttez les nouilles et mettez-les dans un bol. Une fois refroidies, ajoutez la papaye, le daikon, les piment coupés en lanières, les quartiers d'orange et la sauce. Servez en décorant de feuilles de menthe.

250 g de nouilles chinoises

1 papaye verte

1 daikon (radis japonais)

2 piments rouges New Mexico, équeutés, épépinés et coupés en lanières

1 orange, en quartiers

feuilles de menthe fraîches, hachées

Sauce pimentée

le jus de 3 citrons verts

4 cuil. à soupe de *nam pla* (sauce de poisson thaï)

4 cuil. à soupe de sucre de palme

4 piments verts, épépinés et coupés en tranches fines

4 petites feuilles de citrons verts

4 échalotes rouges, émincées

3 bâtonnets de citronnelle en fines lamelles

Pour 4 personnes

une recette thaïlandaise au goût du jour

pour **réveiller** palais et papilles !

Beignets de légumes
et raita à la menthe épicée

Idéales pour un buffet, ces fritures légères font aussi d'excellents hors-d'œuvre. Vous pouvez choisir vos légumes préférés et servir cet exquis raita avec un soupçon de piment.

Pour le raita, hachez grossièrement la menthe et la coriandre et mettez-les dans un mixeur. Épépinez et hachez les piments, pelez et hachez finement le gingembre, et ajoutez-les dans le bol du mixeur avec l'ail. Mixez puis ajoutez le zeste et le jus des citrons verts ainsi que le sel et le yaourt. Laissez reposer au frais. Pour faire la pâte, hachez la coriandre et la menthe, versez-les dans un bol avec la farine, le curcuma et le sucre. Battez le blanc en neige, incorporez-le doucement à la farine et aux épices, versez le jus de citron vert et suffisamment d'eau pour obtenir une pâte fluide. Séparez le chou-fleur en petits bouquets, coupez les courgettes en rondelles de 2,5 cm d'épaisseur, et coupez les carottes en petits morceaux. Faites chauffer l'huile dans une friteuse. Plongez chaque légume dans la pâte et faites-le frire jusqu'à ce qu'il soit bien doré. Égouttez sur du papier absorbant. Servez chaud avec le raita.

4 brins de coriandre

4 brins de menthe

75 g de farine

1 pincée de curcuma

1 pincée de sucre

1 blanc d'œuf

le jus de 1 citron vert

1 pincée de sel

250 g de chou-fleur

175 g de courgettes

1 bouquet de petites carottes

huile pour friture

Raita à la menthe

4 brins de menthe

4 brins de coriandre

2 piments verts

1 cm de gingembre frais

1 gousse d'ail écrasée

2 citrons verts

1 pincée de sel marin

4 cuil. à soupe de yaourt

Pour 4 personnes

Galettes végétales
et chutney épicé à la tomate

Ces galettes végétales sont délicieuses !

625 g de patates douces

375 g de courgettes

200 g de carottes

1 piment vert d'Asie

1 ciboule

2 cuil. à soupe de yaourt

sel et poivre du moulin

huile végétale pour friture

Chutney épicé à la tomate

4 tomates

1 à 2 piments rouges

2 cuil. à soupe de menthe fraîche hachée

1 cuil. à soupe de vinaigre de cidre

Pour 4 personnes

Pour préparer le chutney, coupez grossièrement les tomates, les piments, puis mixez-les dans un bol avec la menthe, le vinaigre et une pincée de sel. Réservez.

Pour les galettes, faites tout d'abord bouillir et réduire en purée les patates douces. Râpez les courgettes, saupoudrez de sel et laissez-les dégorger pendant 30 min. Égouttez-les et séchez-les dans du papier absorbant. Râpez les carottes, épépinez et hachez grossièrement les piments, émincez la ciboule. Mélangez tous les légumes, le yaourt, le sel et le poivre dans un bol. Avec les mains farinées, confectionnez 8 galettes. Faites chauffer un fond d'huile dans une épaisse casserole et faites frire les galettes 4 min de chaque côté. Servez aussitôt, accompagné du chutney à la tomate.

Compote de poivrons
à la feta

Huile d'olive et piments se marient très bien.

Faites griller, épépinez et coupez en grosses lanières les poivrons et les piments. Mettez une couche de poivrons dans un bol, puis une couche de feta. Assaisonnez. Ajoutez la moitié de l'ail et la moitié d'un piment, puis versez l'huile d'olive. Alternez ainsi les couches jusqu'à ce que tous les ingrédients soient utilisés. Laissez reposer au frais 24 heures avant de servir avec du pain chaud et des salades variées.

6 poivrons rouges

2 piments rouges habañeros ou Scotch bonnets

125 g de feta

2 gousses d'ail écrasées

25 cl d'huile d'olive

sel

Pour 4 personnes

Pistou pimenté au persil
pour les pâtes et les légumes vapeur

Un pistou bien relevé – délicieux avec les pâtes ainsi que sur des bruschette.

Pour le pistou, faites griller et pelez les piments et les pignons de pin. Mettez tous les ingrédients dans le bol d'un mixeur et réduisez en une purée lisse. Réservez. Émincez les poireaux et séparez les brocolis en bouquets. Faites cuire les pâtes *al dente* dans de l'eau bouillante salée et faites cuire les légumes à la vapeur. Pour présenter, égouttez les pâtes. Placez-les dans un saladier ou sur 4 assiettes creuses. Versez dessus environ 4 cuil. à soupe de pistou, et disposez les légumes par-dessus.

250 g de poireaux

250 de brocolis

500 g de pâtes

Pistou au piment

3 cuil. à soupe de pignons de pin

3 piments verts Caraïbe

1 petite gousse d'ail

4 cuil. à soupe d'huile d'olive

le jus de 1 citron vert

1 bouquet de persil plat

sel marin

Pour 4 personnes

Petits plus

Au-dessus, de gauche à droite : pâte au piment vert (recette page 61), chutney pimenté au pamplemousse et au concombre (page 60), et condiment à l'avocat (page 61)

Vodka au piment

1 bouteille de vodka

2 gros piments rouges ou 4 plus petits, coupés dans la longueur (en lanières)

Pour 1 bouteille

Il existe beaucoup de vodkas merveilleusement parfumées et autant de fêtes pour les apprécier ! Servez votre propre vodka épicée en digestif.

Mettez les piments dans la vodka et laissez-les mariner pendant 1 à 2 jours, selon le goût souhaité. Retirez les piments et conservez la bouteille dans le compartiment à glace du réfrigérateur.

Chutney pimenté
au pamplemousse et au concombre

3 concombres

6 petits concombres marinés à l'aneth

2 oignons rouges

500 g de tomates

1/4 de chou blanc

2 piments rouges ou 1 piment thaï

le jus de 3 oranges

le jus d'un 1/2 pamplemousse rose

le jus de 2 citrons verts

1 cuil. à soupe de sel

Pour 8 personnes

Idéal pour les barbecues et pour tous les repas froids, ce chutney se consomme dans les quelques jours qui suivent sa confection.

Pelez les concombres, ôtez les graines, coupez-les en rondelles, saupoudrez-les de la moitié du sel et laissez mariner tout en préparant les ingrédients restants. Hachez grossièrement les concombres marinés à l'aneth, détaillez les oignons en dés ainsi que les tomates, coupez le chou et épépinez et coupez en dés les piments. Mettez les légumes dans un bol, versez dessus le jus de citron, saupoudrez de sel et mélangez le tout. Mettez au frais pendant 3 jours avant de servir.

Condiment à l'avocat

2 piments verts

1 poivron rouge

2 avocats mûrs coupés en deux

le jus de 1 citron

4 ciboules finement émincées

1 grand bouquet de coriandre grossièrement haché

13 cl de vinaigre

Pour 4 personnes

Les avocats regorgent d'éléments nutritifs et leur texture souple et crémeuse est idéale pour confectionner des sauces.

Faites griller les piments et le poivron jusqu'à ce que leurs peaux soient noircies et boursouflées. Mettez-les dans du film transparent pendant 3 à 5 min. Retirez la peau, les graines, les pédoncules, puis hachez la chair en petits morceaux. Coupez les avocats en petits morceaux et arrosez-les de jus de citron. Placez-les dans un bol, ajoutez les poivrons et les piments, puis les ciboules, la coriandre et le vinaigre. Servez comme condiment ou en accompagnement de tortillas.

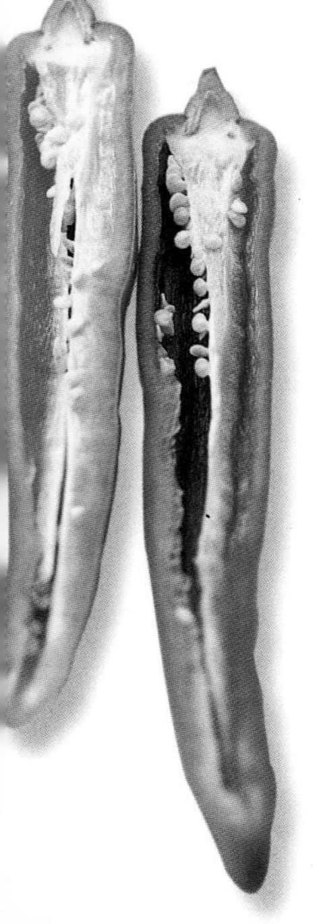

Pâte au piment vert

4 piments Anaheim

2 piments habañeros, équeutés et épépinés

1 gousse d'ail pilée

Pour un bol de 125 g environ

Ce mélange de piments frais grillés forme une pâte qui s'utilise comme de la moutarde avec du poulet grillé ou des steaks de thon au gril.

Faites griller les piments Anaheim jusqu'à ce que les peaux noircissent. Laissez-les pendant 3 à 5 min dans du film alimentaire transparent. Ôtez la peau, les pédoncules et les graines puis hachez la chair en morceaux. Placez-les dans un mixeur avec les habañeros et mixez pour obtenir une pâte homogène.

Muffins de maïs au piment vert
et beurre pimenté au citron vert

La poudre de piment et les piments frais confèrent à ces muffins tout leur piquant. Pour un goût plus épicé, servez-les avec le beurre pimenté au citron vert. Cette recette, rapide et facile, ne demande que 10 min de préparation et 12 à 15 min de cuisson.

Pour les muffins, mélangez la farine, la polenta, la levure chimique et le piment en poudre dans le bol d'un mixeur. Dans un bol à part, mélangez le lait, le beurre travaillé et les œufs battus, puis incorporez le tout au contenu du mixeur. Ajoutez le zeste d'orange et les piments hachés. Déposez des cuillerées de pâte dans un plat allant au four (12 muffins) pendant 12 à 15 min jusqu'à ce qu'ils soient fermes. Retirez-les du four et déposez-les sur une grille. Pour faire le beurre pimenté au citron vert, battez tous les ingrédients ensemble jusqu'à obtenir une mousse crémeuse. Servez-le avec les muffins chauds.

les piments donnent une touche de

fantaisie épicée à ces muffins au beurre

250 g de farine complète

250 g de polenta

3 cuil. à café de levure chimique

1 cuil. à soupe de piment en poudre doux

18 cl de lait

75 g de beurre travaillé

2 œufs moyens, légèrement battus

le zeste de 1 orange

2 piments verts, épépinés et hachés

Beurre pimenté au citron vert

le zeste de 1 citron vert

50 g de beurre

1 pincée de piment en poudre

Pour 12 muffins

Index